KB003741

별에
손끝이 닿으면
가슴이 따뜻해

별에 손끝이 닿으면 가슴이 따뜻해

2021년 1월 15일 초판 1쇄 발행
2021년 1월 15일 초판 1쇄 인쇄

지은이 | 류재우

인쇄 | 아레스트 (s-lin@hanmail.net)
표지 | theambitious factory

펴낸이 | 이장우
펴낸곳 | 꿈공장 플러스
출판등록 | 제 406-2017-000160호
주소 | 서울시 성북구 보국문로 16가길 43-20 꿈공장1층
전화 | 010-4679-2734
팩스 | 031-624-4527
이메일 | ceo@dreambooks.kr
홈페이지 | www.dreambooks.kr
인스타그램 | @dreambooks.ceo

꿈공장+ 출판사는 모든 작가님들의 꿈을 응원합니다.
꿈공장+ 출판사는 꿈을 포기하지 않는 당신 곁에 늘 함께하겠습니다.

ISBN | 979-11-89129-79-8

정 가 | 12,000원

별에
손끝이 닿으면
가슴이 따뜻해

1부 별

2부 그 사람

3부 그 계절

4부 삶 그리고...

첫 시집이라는 돗자리를 깔고 눕다

초등학교 6학년 때에 우연히 숙제처럼 썼던 시 한 편이 '전교 시 창작 대회'에서 최우수상을 타더니, '전국 시 창작 대회'까지 대상을 타게 되었다. 태어나서 학교에서 받은 첫 번째, 두 번째 상이었다. 나도 할 수 있는 무언가를 찾았다고나 할까? 그때 숙명처럼 내 꿈은 '시인'이었다. 마치 무릎 반사처럼 누군가 손가락으로 찌르듯 꿈을 물으면 나는 '시인'이 되겠다고 대답했다. 그 말이 얼마나 순수하고 간절했는지…

대학 시절, 문단에 등단을 했다. 그리고 혼자 살아가야 할 처지라서 졸업 후 바로 첫 직장을 찾게 되었다. 시인이 되면 한 권 한 권 책도 내고 좋아하는 시를 마음껏 쓸 줄 알았는데 사막의 모래 늪에 빠진 듯이 남들처럼 보통의 사회생활 속에 빨려 들어갔다. 물론, 문예지에 정기적으로 작품도 게재하며 창작을 손에서 놓지 않았지만 초등학교 때에 순수하게 대답했던 "시인"의 삶은 아니었다. 마치 두 인생을 동시에 살아가는 것 같았다. 그 갈증이 얼마나 외롭고 힘든 싸움인지 삶이란 주제로 온몸으로 시를 쓰는 것 같았다. 가슴속 깊숙이 담고 있는 갈망을 뱉어 내라고 하루하루 고문당하는 것 같았다. 그렇게 긴 세월을 고문당하고 나서야 비로소 첫 페이지를 세상에 들이민다. 마치 첫사랑처럼 부끄럽고 설렌다.

어렸을 적, 이층집에서 살았는데 한여름 밤이 되면 더워서 동네 아이들과 함께 옥상에 돗자리를 깔고 잠을 자곤 했다. 누워서 바라보는 밤하늘엔 소름이 돋을 정도로 무수히 많은 별들이 떴다. 지금은 도시에서 볼 수 없는 광경이다. 그때 내 눈에 그리고 내 가슴에 들어 온 별들이 내 시에 사랑이 되어, 그리움이 되어 창작의 별이 되곤 한다. 남들 몰래 마음속에 숨겨 둔 그 여름밤을 혼자 살짝 열어보면 아직도 반짝인다.

긴 세월을 지나 다시 그 옥상에 첫 시집이라는 돗자리를 깔고 누웠다. 수많은 별들이 내 머리 위에 떴고 이제야 초등학교 때 품은 간절한 꿈이 시작되는 기분이다. 나의 반짝이는 <별>들을 세상에 뜨게 해준 가족은 물론, <그 사람>과 <그 계절>과 <삶>에 감사의 마음을 전하고 싶다. 이제 숨겨 놓았던 나의 이야기를 시작하고 싶다.

별의 온기가
손끝에 전해지는 밤에
별시인, 류재우

1부

별

혼밥

저녁밥을 짓기 위해 쌀을 씻으면
쌀알이 별처럼 차갑다
오래된 별을 뿌옇게 헹구면
샛말갛게 씻긴 별들이
밥솥 안에 수북이 뜬다

취사 버튼을 누르면
잠시 후 가득 부푼 그리움이
두 배가 되어 가슴에 담길 것이다

이제는 찾아오지 않는 너
홀로 빛나는 별 한 숟가락
입 안에 가득 넣는다

인연

별과 별 사이에
눈에 보이지 않는
무수한 별들이
빛나고 있는 것 알아?

너와 나 사이에
귀에 들리지 않지만
수많은 이야기를
속삭이고 있는 것처럼

그 사이에 있는 것들을
인연이라고 부르나봐
보이지 않는 빛의 끈
들리지 않는 소리의 끈

그래서 우린 세월에
멀리 떠내려가지 않고
일정한 간격으로
마주보며 빛나고 있나봐

별에 오르다

별에 길게 줄을 묶어 오른다
그곳에 새겨진
너의 이름을 지울 것이다
그러면 반짝일 때마다
너를 기억할 일이 없을 것이다

별에 올라 보니
여기서는 사람들 하나하나가
반짝이는 별이다
저 밑에 반짝이는 너도 있다
너는 어디서든 별이구나

너의 이름을 지우려고
박박 문지를수록
별이 더욱 밤하늘에 반짝인다
박박 잊으려 할수록
네가 더욱 내 가슴에 반짝인다

별들도 눈물을 흘린다

새들도 몸을 낮춰 날지 않는 겨울밤
하늘에 놓쳐 버린 커피 잔처럼
진한 어둠이 물들어 간다
물 위에 띄운 꽃잎처럼
밤하늘에 별들이 하나둘 피어나고
슬픈 이별 이야기 하나 바람에 지나가면
별들도 언 몸을 녹이려 눈물을 흘린다

겨울밤, 언 별을 바라보면
별일 없는데 눈물이 난다

기억 속에 기억되는 기억

1. 별
수천 번 써 내려간 이름
먼 기억의 검은 판자 위에
하얀 압정으로 하나하나
꽂아 누른다

2. 아까시나무
서너 명의 짓궂은 아이들이 둥글게 모여
목 조르며 협박하듯 아까시나무를 흔들어 대면
하얗게 기억의 향기들이 쏟아져 내린다
미처 우산을 준비하지 못한 사내
온몸이 흠뻑 젖는다

3. 반딧불이
개똥 냄새나는 놈들
검은 판자 위에 꽂아 놓은
새하얀 이름들을
달빛 몰래 훔쳐 이리저리
사방으로 달아나는구나, 고맙다

4. 첫눈
밤새 어디선가 달려온 새벽 종소리가
다짜고짜 내 멱살을 잡고 흔들면
아까시나무처럼 휘청거리는 가슴 위로
그리운 이름, 반걸음 반걸음씩 내린다

별 띄우기

너에게 주려고
한 밤 한 밤 몰래 따온 별들이
가슴속에 한가득인데
헤어지자고 보내 달라고
자갈 같은 둥근 눈물 뚝뚝 흘리며
나를 흔들지 마

가슴속에 별들이 부서져
쨍그랑 소릴 내며
너와의 추억을 찌르는 밤
너 떠나는 길에 어둡지 말라고
별 하나 띄우는 밤

택배 보내기

혹시나 부서질까
낙엽처럼 마른 그리움을
뽁뽁이로 겹겹이 감싸서
너에게 택배로 보낸다

배송완료라는 문자가 뜨고도
너는 끝내 연락이 없다

택배 박스 안에 담긴
내 그리움을 바라보며
너는 죄 없는 뽁뽁이만
하나둘 톡톡 터뜨린다

기다리는 밤하늘에
별들만 톡톡 터진다

팝콘별

냄비에 그리움을 적당히 담고
너를 기다린 세월의 온도만큼 가열하면
더 이상 억누르지 못하는 너의 이름이
벅찬 가슴 터지듯
밤하늘에 사방으로 튀어 올라
하얀 눈꽃이 되어 박힌다

달콤한 너의 이름이
여기저기 빛나고 있다

별 그림자

사람들이 아픈 이별을 할수록
추억을 오래 간직하려고
밤하늘에 별 하나씩 뜬다
그 별을 매일 밤 그리움으로
닦으면 닦을수록 더 오래 반짝이고
사연이 많은 별일수록
별빛은 더 무겁게 내려앉는다

밤새 해 줄 이야기가 많은 사랑은
추억의 무게를 이기지 못한 채
강물 위로 별빛을 놓쳐 버리고
오늘 밤 강물처럼 흐르는 눈물 위에
반짝이는 별 그림자를 띄운다
사람들이 아픈 추억을 간직할수록
강물 위로 별 그림자가 뛰어내린다

별에 손끝이 닿으면 가슴이 따뜻해

옥상 위에 추억이라는
돗자리를 깔고 누워
한쪽 눈을 지그시 감는다

검푸르게 내려앉은 밤하늘에
별들이 흩어지지 않게
조심스레 천천히 손을 담그면
별빛이 쨍그랑 소리를 내며
흠칫 몸을 흔든다

한쪽에서 떨어지는 별을 피해
너의 별을 손끝으로 콕 집으면
먼 옛날 기억 속에 너를 만나
오늘 밤 가슴이 따뜻하다

겨울별

겨울엔 이별하지 말자
그리움이 차갑게 얼어붙어
밤하늘에 별빛으로 매달리고
바람이 불 때마다 허공에서
가슴이 깨지는 소리가 들려
겨울별에 손을 뻗으면
날카롭게 돋아난 추억에
손끝이 벨지도 몰라

한 계절 참았다가 차라리
아지랑이처럼 봄날에 떠나

별 부스러기

겨울별들이 추워 보여
하늘에서 언 별들을 따다가
가슴에 품고 잠이 들면
밤새 그리움이 녹아내린다
새벽이 오기 전에 아무도 모르게
다시 제자리에 걸어 두어야겠다

어젯밤 방안에 떨어진
반짝이는 별 부스러기를
두 손으로 쓸어 담아
오랫동안 눈도 내리지 않는
외로운 겨울 창밖으로
툭툭 털어 버린다

큰 별

작은 별에 앉아
노을을 본다는 것
해가 지고 나면
다시 의자를 앞으로 당겨
두 번째 노을을 볼 수 있지

나는 얼마나 앞으로 걸어가야
너를 두 번째 볼 수 있는 걸까
내 발걸음보다 큰 별은
너의 그림자를 자꾸 앞으로 밀어내고
나의 그리움의 거리는
얼마큼 줄어들고 있는 걸까

너무 큰 별은 빛나지 않고
너무 큰 그리움은
사랑이 될 수 없다

별의 전설 1

갑자기 서늘해진 가을바람에
잠 못 드는 사람들이
하늘을 올려다보면
둥근 돌에서 빛이 난다
그 돌은
누군가의 희망찬 미래일 수도 있고
누구가의 소중한 추억일 수도 있고
누군가의 서툰 사랑 고백일 수도 있다

간절한 사람들이 오랫동안 바라보는 돌은
가을바람에 흔들리는 별이 된다
별은 오늘밤 어둠을 밝히며
누군가의 이야기가 된다

나는 간절히 너를 바라본다
너는 내 가슴에 와 별이 되고
그 간절함은 네 머리말에서
오늘 밤 이야기가 된다

별의 전설 2

몇 개의 별이 유난히 밝으면
산그늘에서 이름 모를
커다란 새가 튀어 올라
빛을 물고 사라진다

빛을 물고 사라지는 모습이
마치 하늘에서 떨어지는 유성 같다
사람들은 떨어지는 빛을 보며
저마다 소원을 빌기 시작했고
몇몇은 그 빛을 찾아 길을 나섰다

떨어진 별이 흩어진 곳은
서쪽 바닷가였다
노을이 질 때면
여전히 자갈은 빛을 내고 있었고
여전히 누군가의 별이었다

나는 별 하나를 주어 주머니에 넣는다
우리는 누구나 빛을 잃으면 자갈이 된다

떨어진 별

예고도 없이 비가 내린다
화살처럼 쏟아지는 빗줄기가
온몸을 투과하고
나는 최신형 정수기처럼
슬픔을 걸러 내고 있다

그리운 것들이 오늘 밤은 뜨지 않고
담벼락을 따라 흘러가고 있다
맨홀 뚜껑에 땡그랑
별 하나가 걸린다

별은 낮에도 뜬다

계절이 바뀌면 꽃은 시들어 떨어지지만
내 마음의 꽃병은 눈물로 가득 차
너라는 꽃잎이 아직도 빛이 난다

날이 바뀌어도 어제와 똑같은 별
그리움은 조각된 꽃잎처럼
새벽바람에도 흔들리지 않고

기다리지 말라던
선인장 가시 같은 말들이
하늘로 올라가 압정이 된다

불면증에 시달리는 눈동자처럼
대낮에도 하얗게 하나하나
압정으로 별을 꽂아 누른다

은하수

내 심장에 매달려 있는
그리움의 탯줄을 자르면
너의 이름이 밤하늘에 떠올라
또 다른 별이 된다

그렇게 매일 밤 떠오른 별들이
네가 내 곁에서 떠나간 속도로
은하수가 되어 흐르고 있다

별지기의 고백

별이 밤하늘에 빛나려면
어린 왕자의 붉은 장미처럼
특별한 관심이 필요한 거야
네가 지금 별처럼 아름다운 건
너의 빛깔이 특별해서가 아니야
내가 너에게 특별한 관심이 있기 때문이지
나에게 올래?
내가 너의 별지기가 되어 줄게

옥상에서

옥상에 누우면 더 가까이 볼 수 있을까
오랫동안 바라보면 별이 조금씩 움직인다

움직인 별들은 내게로 왔고
옥상 위에 한가득 별빛이 내려앉았다

그리운 것들은 오래 보면 빛이 난다
그 빛은 눈덩이처럼 환하게 뭉쳐진다

우리 집 옥상에서 너희 집이 보인다
모아진 별빛을 네 창가에 던져본다

미처 낮에 걷지 못한 하얀 빨래가
내 그리움에 백기를 든다

바란다

돌아올 길을 가는 거라면
애초에 떠나지 말기를
붙잡길 바라는 것이 아니라면
지금 뒤돌아 종종걸음으로 떠나길
괜히 지워질까 노심초사 간직하게 될
내 입술에 오래 남을 향기 새기지 말기를
떠나는 네 발뒤꿈치가 덜 아프길
남겨질 내 기억이 너무 오래가지 않기를
모든 게 자신 없다면
없던 일로 하겠다고 저 별에 약속하길
내가 붙잡아도 놓지 않겠다고
저 별에 다시 약속하길
저 별이 제발 두 개의 이별이 되지 않기를
바란다

종이학

너의 이름을 꾹꾹
눌러 써 내려 간 그리움을
밤새 손톱으로 꾹꾹
눌러 접은 종이학

새벽이 오기 전에
밤하늘에 높이 날리면
푸드덕 날갯짓하며 날아올라
마치 눈꽃 같은 별이 된다

작은 별

냉장고 문을 여니 별이 켜진다
아직 싱싱한 기억들이
잊히지 않고 차곡차곡 쌓여 있구나

너를 묻었지만
머릿속에 기억들은 땅에 묻지 말고
모진 세월에 상하지 않게
냉장고 안에 보관해야 한다

불 꺼진 부엌에서 미친놈처럼
냉장고 문을 열었다 닫았다 반복한다
밤새 그리움이 반짝반짝
작은 별처럼 아름답게 빛난다

숨바꼭질

오늘 밤 별이 보이지 않으면
네가 눈을 꼭 감고 있는 거야
별은 깜박이지 않고
밤새 너를 보고 있거든

오늘 밤 내가 보이지 않으면
네가 앞만 보고 있는 거야
나는 잠시 네 옆에 앉아
너라는 별을 올려다보고 있거든

별에 기도하기

어제의 상처가
별문제 없이 지나가기를

그 상처가 우리의 미래에
별 상관이 없기를

그냥 오늘도 무사히
별일 없이 지나가기를

지금 아프다고
별도리 없이 손 놓지 않기를

내가 너에게
별 볼일 없는 사람이 아니기를

우리의 사랑이 다른 사랑과
별다른 점이 없기를

다들 이렇게 아프면서 사랑한다고
별걱정 안 해도 된다고 말하기를

이 모든 나의 기도가
별 소용이 없지 않기를

두 개의 별, 이별

하나의 별을 올려다보며
잡은 손 놓지 않겠다고 약속한 시절

지우고 또 지워버린 지우개처럼
사랑도 세월에 닳아 없어지고

잡은 손 놓쳐 둘이 되면
저 별도 둘이 되어
이별이 되는 걸까

편지

오늘도 별생각 없이 지내
그날 밤 네가 떠나던 길에
외롭지 말라고 반짝이던
환한 별만 생각해
나는 진작 너에게
그런 환한 배려를 못했을까

오늘도 별일 없이 지내
네 이름이 독하게 새겨진
그리움의 파편 같은
별을 생각하며 지내
어딘가 있을 너를 바라보는
밤하늘에 별을 질투하며

추신을 덧붙이자면
오늘도 별 생각하다
별생각이 다 나

철길

1. 자갈
하늘 위로 잎이 지고 있다
목련에서 하얗게 튀어 오르는 날갯짓
시선을 길게 당기고 가더니 공중으로 사라진다
나는 사라진 것이 아닌 사라진 자리를 바라본다
그곳에 별이 떴고 오랫동안 빛이 난다

새들이 어디선가 강한 부리를 가지고 나타나
밤새 마른 가슴을 부수고 쪼아간다
사방에 흩어진 그리움의 조각
둥글게 떨어져 나간 자갈 같다
자갈 속을 들여다보면 빛이 난다

무엇이든 오래 바라보면 별이 된다

2. 철길

바람에 날리지 않도록 두 발이 묵직했으면
뒹구는 잎새보다 가벼운 발걸음이 부끄럽다
부끄러움의 무게로
그리운 것들을 누르고 걷다 보면
발밑에 흩어진 둥근 자갈 위로
자꾸 깔리는 굳은살이
녹슨 밑줄을 긋는다

3. 터널

그 곳은 공기 잘 통하는 기억의 무덤
사월의 목련꽃처럼 하얗게 지고 싶다

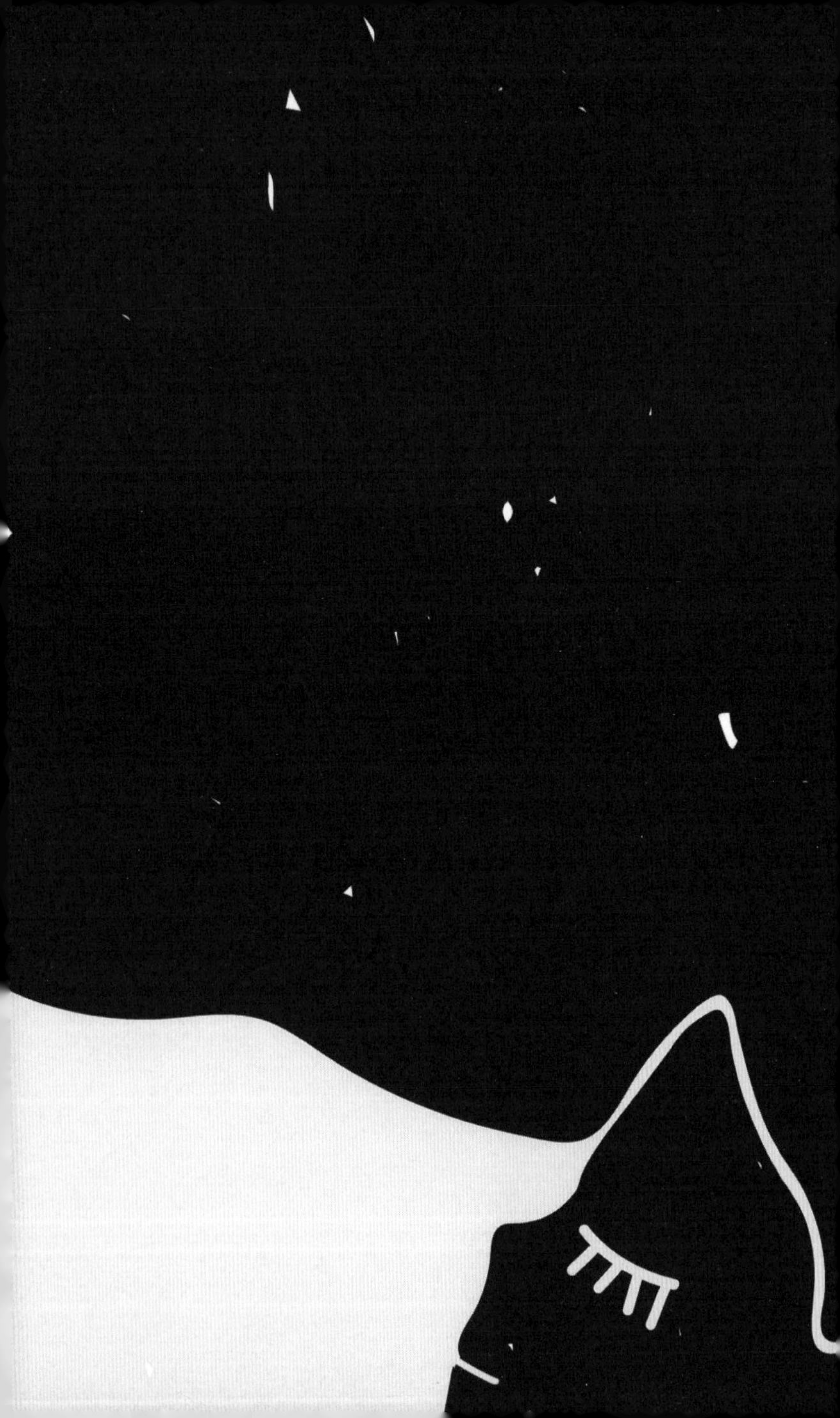

2부

그 사람

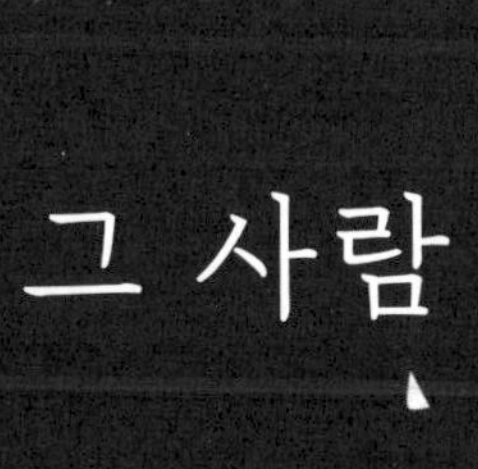

돌멩이

함부로 던지지 말라던
돌멩이 하나 높이 던지면
어디론가 떠나던
조각배 같은
하얀 구름들이 출렁이고
가라앉는다 묵묵히
가슴에 와 박힌다

그대가 던진 돌이라서
아픈 진주 하나
가슴에 품는다

손톱

어깨만큼 좁아진 골목길
계절의 끝에서 불어오는
가을바람처럼 지나가는 세월을
미련하게 붙잡고 놓치지 않으려
양손으로 허공을 할퀴다 보면
유난히 빨리 자라나는 손톱이 있다

바짝 깎아내면
날 지난 신문지 위로
뚝하고 떨어지는
단단하게 굳은 그리움

별도 뜨지 않는 밤 가슴속에
유난히 자꾸 자라나는 사람이 있다

욕실에서 기억하다

1.

세면대 안에 물이 가득 고여 있다 허연
비누거품들이 눈꺼풀을 껌벅거리며 허공에
대못 같은 시선을 보내려 안간힘을 쓴다
어딘가 꽉 막힌 게 틀림없다
거북스러운 소리가 허공을 긁는다

2.

세월에 떠내려가지 않고 둥둥
떠다니는 기억들이 있다
다리가 여러 개 달린 그 기억들은
밤낮으로 귓속과 콧구멍을 오가기도 하고
다리에 안간힘을 쓰며 하루 종일
눈동자에 매달려 있기도 한다
어느 순간,
입 속으로 들어올 때를 기다려
꿀꺽 삼켜버릴 테다
뱃속 깊숙이
철저히 묻어버릴 테다

3.

하수구로 연결되는
녹슨 파이프를 분리해보니
썩지도 않은 시커먼 머리카락이
잔뜩 뭉쳤다 깊숙이
손가락을 집어넣어 끄집어낸다

젖은 머리칼 끝에서
낯익은 향기가 난다

둥근 기억

장롱 한 쪽 구석에 축
늘어져 있는 그이의
빛바랜 남방 하나를 꺼내어
손마디가 벗겨지도록
빨래판에 문지른다

기억의 끝은 둥그렇다
거품이 되어 빛나는 둥근 햇살
둥그런 땅에 머리를 처박고
소주 한 잔을 가득 담아 뿌린다
거품들이 무덤 위에
둥둥 떠다닌다

눈물 뚝뚝 흘리는
젖은 남방 하나를
질긴 빨랫줄 위에 내건다

질기게 기억하지 말라고
흠뻑 젖은 가슴 햇살에
바짝바짝 말라 버리라고

그리움의 부피

아무도 들여다볼 수 없는
컴컴한 비밀의 공간
맨 밑바닥에
끝없이 펼쳐진 기억의 넓이
그곳에 오랫동안 겹겹이 쌓인
세월의 높이를 곱하면
도저히 풀리지 않는
너를 향한
그리움의 부피가 있다

불면증

머릿속에 귀뚜라미 몇 마리
풀어놓은 것처럼 탁탁 부딪치고
밤새 주술 같은 음악이 귀뚤귀뚤
볼륨을 높이며 귓구멍으로 흘러내린다

시스템 종료를 해도 꺼지지 않고
화면에 작은 원만 빙빙 도는
너의 이름을 수천 번 수만 번 입력해
가을밤은 며칠째 시스템 오류이다

눈꺼풀 위로 새벽이 하얗게 일어나고
너의 이름이 가을바람에
창밖으로 날리지 않게
누군가 묵직한 벽돌 하나를
머릿속에 무겁게 올려놨구나

선인장

창가에 서서
수많은 안테나를 세우고
침이 바짝바짝 마르도록
너를 부른다

목감기

1. 증상
마른침을 삼키면 목구멍 너머로
더운 모래알이 굴러 넘어간다
찬 공기가 식도를 할퀴며 지나가고
입으로 숨 쉬기가 고통스럽다
쓰디쓴 목소리가
가슴에서 올라오질 못한다

2. 원인
밤새 이불을 당겨
머리끝까지 묻고
너의 이름을 불렀다
목이 찢어지도록

3. 처방
할 수 있는 것이 없다
어차피 오늘 밤에도
목이 터져라 그리울 것을

식후 30분 차라리
목 놓아 울어라
목은 막혀도
가슴이라도 막히지 않게

기억이라는 술잔

넘치지 않을 정도만
술잔에 너의 이름을 채워
가슴으로 삼키는 밤

오늘도 남몰래 기억하였고
오늘도 남몰래 잘 견뎠다

거리는 속력 곱하기 시간

갑자기 뒤돌아가는
너의 발걸음의 속력에
내 손끝이 차마 너를
잡지 못한 세월을 곱하면
네가 있는 거리를 알아
미안해 찾아가지 못해서
네가 자꾸 걸을수록
세월이 자꾸 흐를수록
점점 멀어지는
그리움의 거리

화살표

네가 등 돌리던 순간부터
세월의 흐름을 따라 쭈욱
멈추지 않고 길게
화살표를 긋는다

긴 화살표 위를 위태롭게
낙엽이 지는 계절이
수십 번 바뀌도록 걷다 보면
그 끝에 네 뒷모습이 있을까
아니면 터벅터벅 되돌아오는
내 그림자가 있을까

날카로운 화살표 끝이
산 아래 하늘을 푹 찌른다
붉게 노을이 진다

손 없는 날

잃어버리기 쉬운 것들은
잃어버리기 쉬운 것들끼리
깨지기 쉬운 것들은
깨지기 쉬운 것들끼리
혼자 들기 무거운 것들은
들고 가기 쉽게 반반씩 담아
햇살 따뜻하고 바람 잔잔한
어느 손 없는 날에
한 트럭 되는 그리움 짊어지고
네가 살고 있는 곳으로 간다
반기지 않는 철 대문
밤새 두드린다

개껌을 던져주며

'앉아'하면 앉고
'굴러'하면 구르는
개가 용하고 기특해서
닭고기를 가공해 만든
개껌 하나를 던져 주었더니
등 휙 돌리며 집으로 물고 가
불러도 쳐다보지도 않는다

만나고 헤어지는 일이
너 같으면 좋겠다
아직도 나는
집으로 돌아가지 못하고
그대가 던져 준 추억을 미련을
헥헥거리며 핥고 있다

나

묵직하게 머릿속을 짓누르며
마우스 오른쪽으로
자꾸 붙여넣기 하는
너와의 추억
너와의 추억
너와의 추억
그 밑에
깔린 나

새벽 비

밤새 창문 틈으로
빗방울 또옥 또옥
발뒤꿈치 소리 내면
그리운 임 먼 새벽에서
빗방울보다 빨리
어둠을 첨벙첨벙 건너
가슴속으로 뛰어 들어온다

불쑥 가슴을 적히는
새벽 비 같은 사람

과호흡 증후증

숨을 너무 많이 쉬었단다
물속에 잠긴 입만 바쁜 물고기처럼
허공에서 마른 입술로 호흡하며
살아 있으려고 노력한 것뿐인데

그날은 유독 날이 무척 더웠고
할 말이 없어 너의 말처럼 독한
진한 커피만 벌컥벌컥 들이켰고
일어서는 너를 붙잡을 수 있는 단어가
세상에 존재하지 않았을 뿐이다

내 몸에 이산화 탄소가 과도하게 빠져나가듯
네가 내 삶에서 미끄러지듯이 빠져나간 날
숨을 조금만 쉬란다 나에겐
이 많은 공기도 아깝단다

안전 안내 문자 -코로나바이러스감염증19

하루에도 몇 통씩
내가 사는 동네에서
동선을 공개한다며
주의하라고 문자가 온다
너를 만난 적이 있냐고
너를 피해야 한다고
혹시 만난 적이 있으면
손을 번쩍 들라고

떠난 너에겐 아무런 연락이 없는데
오늘도 무사히 안전하냐고
말도 안 되는 문자가 온다

낚시

낚싯줄을 힘껏 바다에 던지면
적당히 무거운 그리움이
물속으로 가라앉는다

출렁이는 파도에 철썩철썩
세월이 하얗게 접히고
너를 향한 오랜 기다림

파르르 떨리는 손끝
드디어 너를 낚았나 싶더니
저 푸른 추억에 내가 낚였다

외사랑

어쩌다가 창문과 방충망 사이에 갇혀
모질게 나가지도 못하고
당신의 마음에 들어가지도 못하는
똥파리 같은 사랑
한낮 뙤약볕에
오장육부가 타들어 가는
길 잃은 외사랑

흰 변기에 입맞춤하다

1. 암호
묵은 것을 밀어 넣는다
이별의 눈물이 튀어 오르면
애써 낡은 문짝을 바라보며
의미도 알 수 없는 시선으로 낙서를 한다
꽉 막힌 벽을 타고 기어 다니는 암호들

진한 향기가 난다

2. 통로
긴 파이프를 타고 지하로 내려가면
오래된 기억들이 차곡차곡 쌓여 있을까
꽉 막혀 한동안 떠나지 못한 기억들도
이제는 떠내려갈 준비를 하고 있을까

벌겋게 부어오른 통로의 끝, 그 아늑한 곳에

3. 입맞춤
빗물에 술을 섞어 마시던 날
변기에 대가리를 처박고 꺼억 꺼억
누군가를 부르고 있었다
가슴에 부둥켜안고 엉엉 울며
입맞춤하고 있었다

기다리는 소

충북 음성 어느 산 아래
분지를 이루고 있는 차곡리
대낮에도 홀로 남아 집을 지키는
누런 소 한 마리
여기 있소

가끔 산에서 내려오는 바람에 덜컹거리는
반쯤 열린 녹슨 대문을 바라보는지
반쯤 보이는 눈 덮인 언덕을 바라보는지
애달피 끔벅이는 깊은 눈동자
여기 있소

오늘도 빈손으로 찾아온 바람결
느리게 턱을 움직이며
괜찮다 괜찮다 돌려보낸 뒤
오래된 이름 하나
깊게 새기고 내쉬는
뜨거운 숨소리
여기 있소

한낮에 내리는 눈 위
너를 꼭 닮은 무게의 발자국이
바느질 자국을 남기듯
기억을 이으며 찾아올까
흰 눈발 하나하나 속으로 세던
미련한 가슴 하나
여기 있소

어느 산 아래
세월이 흐르지 않고
차곡차곡 쌓인다는 차곡리
서산에 고인 노을에
휘익 꼬리 휘둘러 적시고
허공에 그립다 그립다 시를 쓰는
누런 소 한 마리
여기 있소

노오란 달

똑똑똑 맥박 이어주는 링거액
떨어지는 리듬을 놓칠까
눈 하나 깜박이지 않고
시선을 함께 툭툭 떨어뜨린다
허공에 놓쳐버린 눈물

아무리 젖은 수건으로 닦아 봐도
노오란 빛 지워지지 않던 얼굴
오늘 밤도 창밖에 뜬 노오란 달
엄마 얼굴에 뜬 노오란 황달

들키다 1

마지막 야간 보초였다
새벽이 등 떠밀며 어둠을 밀어내고
철책으로 감긴 담벼락이
환하게 밝아오던 그곳에
순간 사람 모양의 하얀 안개가
나를 바라보고 있었다

왜 서울에 있는 엄마라고
내 몸과 마음은 직감했을까
발걸음을 옮겨 다가갔다
점점 흐리게 사라지는 하얀 안개

보초가 끝나고 행정실에 신고하러 갔다
엄마가 조금 전에 돌아가셨다고
서둘러 서울에 가라고 한다
눈물도 흐르지 않았다
이미 알고 있었기 때문이다

떨어져 있던 막내아들
환하게 들키면서까지
몹시 보고 싶었나 보다

들키다 2

날이 밝아 안 된다는 걸
뒷모습이라도 보고 가려고
낯선 담벼락에 숨어 있는데
그만 눈이 마주쳤구나

오지마 오지마
그만 가야 해
엄마 우는 거 들킬라

눈물 베개

추억이 짧을수록
남는 갈망이 더 길다
추억이 되기 전에 떠난
한평생 그리운 엄마

처음엔 눈물도 흐르지 않더니
살면서 점점 늘어나는 눈물
내가 그리워하기 전에 떠난
한평생 원망스러운 엄마

살다가 꿈에서 보게 되는 날이면
환한 새벽 잠에서 깨도
계속 잠든 척하는 긴 새벽
계속 젖어 드는 눈물 베개

무덤을 옮기다

땅에 반쯤 묻혀 아래로
굴러 내려가지 못하고
그 자리에서만 기다리는
둥글어서 슬픈 땅

기억을 숟가락으로 퍼내듯이
젖은 흙을 삽으로 퍼내고
오랫동안 기다리고 있던 엄마를
다시 꺼내어 가슴에 안는다

노을이 지기 전에
더 좋고 가까운 곳으로
이사하자 엄마야
이장하자 엄마야

가장 어려운 일

평소에 잘 두었다고 생각했는데
필요할 때 찾으니 보이지 않는
방구석 이곳저곳을 들쑤셔 놓고

항상 거기에 있을 거라고 생각했는데
그리워서 찾으니 떠나버린
눈 덮인 계절 이곳저곳을 들쑤셔 본다

세상에서 가장 어려운 일
흐르는 세월을 마음에 붙들어 매는 일
떠나는 엄마를 세월에 붙들어 매는 일

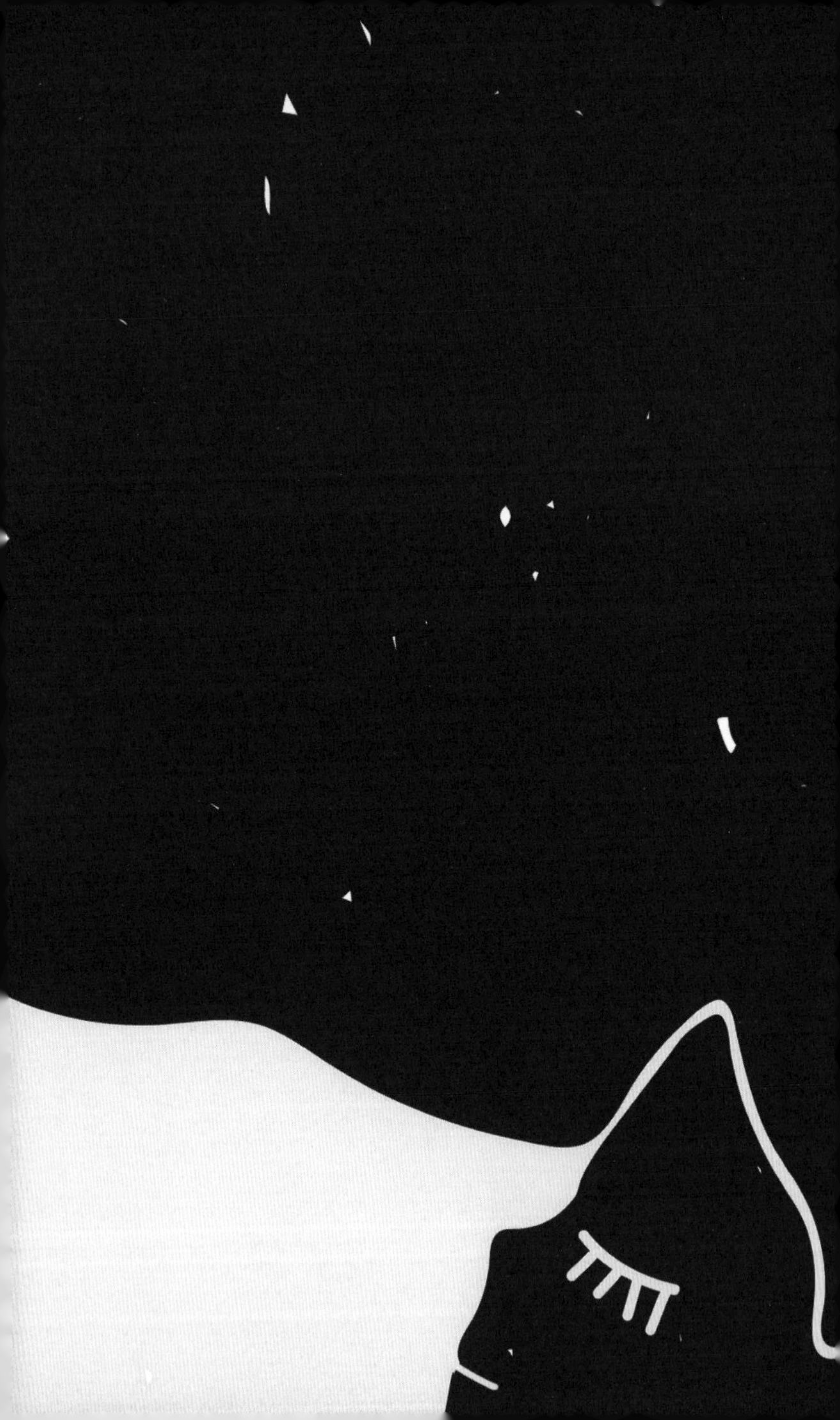

3부

그 계절

봄비

올해 처음 내리는 봄비가
무심코 열어 놓은 창가에
눈치 없이 똑똑 튀기면
지난 계절에 얼어붙은
내 그리움이 녹아
허락 없이 그대 마음에
뛰어든 줄 아세요

봄날이라서 다시 그대를 만나고 싶습니다

불잡으면 마른 낙엽 부서지듯이
추억마저 바람에 흩어질까
붉게 울던 한 계절 참아내고

뒤돌아선 그대 등을 두드리면
겨울바람에 얼어붙은 가슴마저 깨질까
또 한 계절 움츠리며 기다리고 있었잖아요

반짝이는 햇살이 받아줄 것 같아
오늘은 봄날이라서
다시 그대를 만나고 싶습니다

인사동에서

3월 중순이었을까
계절도 놓쳐버린
한 청년의 발목 긴 털 부츠가
이른 대낮부터 북적거리는 거리에
좌판 리어카를 끌고 간다

아직 피지 못한 붉은 꽃잎 대신
영롱한 플라스틱 장미가
가득 피어 있는 머리띠를 싣고
인사동 문화의 거리
삶이란 쇠사슬에 발목이 묶여
또 하루가 덜커덩거리며
시퍼런 청춘을 질질 끌고 간다

개나리꽃 - '세월호 아픔'을 기억하며

눈 한번 감았다 뜨면
꽃 한 송이 피었다 지는 게 인생이지만

그 찰나마저도 채우지 못하고
가라앉은 사랑이 그리움이 괴로움이

아직도 두근거리는 것 같은 너의 심장이
저 깊은 바닷속을 헤엄쳐 나와
나의 심장을 거칠고 아리게 두드린다

많이 불려지지 못한 너의 이름은
꽃이 피는 계절 그 곳에 가라앉았지만

다시금 봄이 되니
우리가 가는 곳마다
반짝이는 노오란 별들이
대낮에도 어디든 오순도순 뜬다

그 계절에 공황 장애가 시작됐다 1

각 얼음이
계절의 시작을 두드리고
아이스 아메리카노가
잠시 여름을 녹인다

아내와의 주말 한낮에 대화
무슨 할 말이 그렇게 많았는지
온종일 울어 대는 매미처럼
말이 끊이지 않는다

흔들리는 눈동자처럼
아내가 두 손을 흔들며
천천히 얘기하라고 자제를 시킨다
마치 흥분한 사람처럼
쏟아지는 언어들
억제할 수 없다

뜨거워진 나의 심장
금방이라도 쏟아져 내릴 것 같은
소나기 같다

그 계절에 공황 장애가 시작됐다 2

비좁은 소나기처럼
말을 많이 하기보다
말과 말 사이에
숨을 안 쉬는 것 같다
순간 심장이 전력 질주하며
어디론가 뛰기 시작했고
숨 쉬는 방법을 잊어버렸다

초록의 나무 그늘 아래에서
풍경화를 그리던 아이들이 달려온다
식은땀이 온몸을 적시고 손이 저린다
천천히 감기는 눈꺼풀 사이로
올여름이 담긴 풍경화가 보인다

아직 안 되는데 지금은 안 되는데
이대로 눈 감으면
모든 게 끝날 것 같다
매미의 날갯짓처럼
온 힘을 다해 두 눈을
푸른 하늘 위로 치켜뜬다

그 계절에 공황 장애가 시작됐다 3

올여름에 가려던 푸른 바다
그 깊은 곳에 빠진 것 같다
파도에 실려 물 밖으로
운 좋게 머리가 한번 나오면
잠시 짧은 숨을 쉬고 다시
물속으로 빨려 들어간다

천천히 심호흡하세요
구급대원이 도로 상황을 살피며 말한다
심장은 마지막 몇 미터를 남긴
육상선수의 발뒤꿈치처럼 요동치고
저 결승선을 넘으면
이제 곧 멈출 것이다

살면서 뭘 그렇게 많이
알록달록 그려 넣으려 애썼나
한순간 이렇게
새하얘지는 것을

그 계절에 공황 장애가 시작됐다 4

새하얀 가운 소매에
검정색 볼펜으로 그어진 줄이
의자에 앉자마자 눈에 띄었다

어디서부터 시작인지
내 삶의 습관들을
고백받고 싶어 했다
나는 잘 기억나지 않는 어딘가를
손가락 끝으로 콕 집었다

반복되는 공황 발작이 와도
절대 죽지 않는다고 믿으며
삶의 어디쯤 볼펜으로 길게 줄긋고
두툼한 약봉지를 들고 나온다

또다시 내 삶이
알록달록한
알약들로 채워졌다

마룻바닥

올여름엔 장마가 길어서
습기를 먹은 거실 마룻바닥이
언덕처럼 부풀어 올랐다

여름은 내리쬐는 강한 햇살로
기다리는 나의 애간장을
남몰래 바짝바짝 태우다가도

하루 종일 비가 내리는 날이면
너의 생각에 축축하게 젖은 그리움이
먼 기억의 언덕처럼 부풀어 오른다

가을이잖아

긴 세월에 쌓인 추억이 무거웠는지
구두 뒷굽이 많이 닳았네
네 눈 안에 내가 보이지 않고
흔들리는 별들이 비친다
별도 그림자가 있다는 것을
그때 처음 알았다
잡은 두 손은 어긋난 시간처럼
도망치듯이 미끄러지며 빠져나가고
증발해 버린 언어 너의 입술엔
한숨 같은 차가운 가을바람만 분다

떠난다고 말해도 돼
괜찮아 가을이잖아

가을 서정시

술잔 위에 째깍거렸던 긴 시간과
주제를 알 수 없었던 긴 이야기와
하늘로 떠오르지 않던
시커먼 비닐봉지 같은 꿈들과
서로 말을 걸기 어려웠던 첫사랑과
모든 걸 책임질 수 있을 것 같던
소나기처럼 무모했던 두 번째 사랑과
매번 처음같이 아팠던 이별과
비틀거리며 걸었던 새벽하늘 아래
밟아도 밟아도
새파랗게 돋아났던 청춘을
이 계절 끄트머리에 묻는다

가을은 추억의 무덤이다

가을 단풍

나에 대한 마음이 변하고 있을까
자고 일어날 때마다 점점
당신의 빛깔이 예전과 달라지네요

그럼에도 당신의 낯선 빛깔이
이처럼 아름답게 느껴지는 이 계절에
붉게 물들어 가는 내 마음을 어찌할까요

언제부터였을까 내가 당신의
걸리적거리는 기억이 되었던 것이
들리지 않게 내쉬는 작은 한숨에도
메말라 가는 당신의 사랑이 하나둘
손끝에서 떨어져 나가네요

당신을 생각하는 것조차
뒤늦게 미안해지는 이 계절을
늦가을이라고 하나요
지금 놓아주는 내 마음을
늦은 이별이라고 하나요

가을 나무

잊으려고 몸부림치는 것보다
잊히는 것을 붙잡아 놓는 일이
더 아픈 계절

가지 끝에서 자꾸 뛰어내리는 추억
인연이라는 끈으로도 붙들어 맬 수 없어
매번 놓쳐 버리는 계절

어디선가 날아온 그리움이
빈자리에 날개를 접고 앉으면
빨갛게 울어버리는 가을 나무

가을비

가을 끄트머리에서 내리는 비는
그동안 바람에 버텨 온 단풍잎들을
우수수 바닥에 내려놓고

이제는 움켜쥐지 말고
골목 모퉁이를 돌아서 흘러가는
세월 속에 그만 놓아 버리라고

붉게 눈물을 흘리는 미련들을
추억의 가지 끝에서
모두 놓아 버리라고

새벽부터 내리는 가을비
하루 종일 이 계절을 적시며
흐르는 내 눈물을 숨기네

상처

세상에 매번 속는데
가슴이 매번 아프다
낙엽처럼 부서지는 가을
가을처럼 붉게 멍든 가슴

이별이 처음도 아닌데
반송함에 꽂힌
잘못 배달된 편지처럼
다시 너에게 돌려보낸다

골목 안 오래된 나무 밑에서
떨어지는 낙엽에게 구타를 당하고
복면을 쓴 어두운 밤하늘에
딱지 앉은 상처처럼 별이 뜬다

꽃무릇

붉은 꽃이 피고 지면
뒤늦게 잎이 돋아나
꽃과 잎이 한 번도
만날 수 없는 슬픈 운명
독만 남았구나!

무턱대고 마음에 먼저 핀 짝사랑
붉게 울다 지쳐 떨어진 후에
내가 있던 빈자리를
그대 뒤늦게 돌아보네
한만 남는구나!

단풍

추억이 기억이 되면
조금은 덜 아플까?

지난날 푸른 추억이
차가워지는 가을바람에
기억이라는 단풍으로 물든다

그대 작은 한숨에
길바닥에 떨어져 부서져도
마른 아픔이라서
조금은 덜 아플까?

낙엽

이 층 건물 옥상에서
줄넘기를 한다
아무리 애써 뛰어도
발끝을 벗어나지 못하는 삶
가슴만 쿵쿵 울린다

바람이 골목 안으로
슬리퍼 질질 끌며 지나가면
담벼락에 기대던 늙은 나무가
한 계절 가슴에 품고 살아온
발자국 멀리 던진다

우울증 주의보

가득 부은 술잔 안에 훤히 보이는
오래 담가 둔 옛사랑
술잔이 마를까 또 채우고

꽃병 같은 투명한 가슴에
오랫동안 꽂혀 있는 시든 사람
추억으로 메말라 세월에 떨어져 날리고

오래전부터 잠이 오지 않는 밤은
빈 천장만 바라보아도
눈도 깜박이지 않고 눈물이 흐르고

사람들이 많이 이별하는 계절
낙엽 더미처럼 여기저기
마른 기억들이 수북이 쌓여 있고

반쯤 열린 창문 틈으로
상한 별들이 흔들리면
또다시 이 계절이 유행할 것이다

시월의 장미

봄날인 줄 알고 핀
어느 따뜻한 날
시월의 장미

사랑인 줄 알았네
햇살 좋은 가을날
그대 따뜻한 배려가

착각 속에 핀 가을 장미
향기가 더 멀리 가는 것 알아?
가시에 찔리면 상처가
더 오래 남는 것 알아?

이별 사진

가을 사진을 찍을 때에는
밑에서 위를 향해 찍으세요
떨어지는 낙엽이 잘 보이잖아요

이별 사진을 찍을 때에는
위에서 밑을 향해 찍으세요
떨어지는 눈물이 너무 슬프잖아요

추운 날 이별을 삼키면 체한다

너무 과하게 이별을 삼키다가 체했다
어디쯤인가 그리움이 쌓여 내려가지 않고
헛구역질을 해도 토해 버리지 못한다
머리 한쪽은 추억으로 가득 차
편두통으로 이 밤을 데굴데굴 굴러다닌다

급하게 바늘을 찾아
엄지손톱의 반달모양 끝부분을 찌른다
빨간 무당벌레가 손가락 위에 앉는다
계절에 얼어붙은 그대
기억 속에 조금은 내려가려나

가루눈 내리는 날이 더 춥다

부서진 추억같이 가루눈이 내리면
더욱 추워진다는 이 겨울밤에
돌아선 네 마음처럼 얼어붙을까봐
마당에 살짝 열어 둔 수도꼭지

잊으라고 이제 그만하라고
똑똑 마침표를 던지는 물방울
밤새 그 밑에 고인
너를 기다린 세월이
내 기억 위에 차갑게
흐르지 않고 얼어붙었다

떠나느라 힘든 네 발걸음
이 겨울 어디쯤에 얼어붙어
멀리 못 갔으면 좋겠다

그리움 예방 행동수칙

겨울이 오니 밀폐된 공간에서
그리움이 더 빠르게 퍼지고 있다
추억과 거리두기가 3단계로 격상되고
너를 떠올릴 만한 사물과
거리는 2미터를 유지해야 한다
너와 닮은 사람들이 가까이 모이는
낯익은 장소는 방문을 자제하고
혹시나 거리에서 너의 이름을 외칠까
마스크는 필수로 착용해야 한다
찬바람에 그리움이 몰려오면
아무리 잊으려 해도 쉽게 사라지지 않는
너의 잔상을 흐르는 물에
비누로 30초 이상 자주 씻어내고
심장의 온도가 비상식적으로 높아지면
당장 이 계절과 격리 조치가 필요하다

고독

불면증으로 하얀 밤
홀로 마시는 술은
독입니다

그대가 떠난 발자국을
지우개 같은 하얀 눈이
내버려둬라
내버려둬라
덮어버리는 계절

추억은 입김을 불면
아무리 덮는다고 해도
자꾸 뜨거운 가슴속에
상처를 들어내는데
창밖에 내리는 눈은
그대 떠난 길 끄트머리까지
밤새 덮어버릴 모양입니다

불면증으로 하얀 계절
홀로 남아 쓰는 시는
고독이라는 독입니다

첫눈

하늘에서 하얀
종이학들이 날아 내린다
밤새 너의 이름을
목구멍 뒤로 밀어 넣으며
초승달 같은 손톱 끝으로
어둠을 꾹꾹 눌러 접은
그리운 것들이
새벽하늘에 가득
날개를 파닥거리며 내린다

이상 기후

갈수록 봄이 사라진다는데
꽃가루 날리는 계절이 사라지면
내 그리움을 어떻게 너에게 전하지
꽃이 피기도 전에 가지만 마르겠네
사랑하기도 전에 빈 가슴만 남겠네

갈수록 가을이 사라진다는데
단풍이 물드는 계절이 사라지면
내 그리움을 무슨 색으로 칠하지
잎이 떨어지기 전에 가지에서 얼겠네
사랑한다 말하기 전에 입이 먼저 얼겠네

계절

벚나무의 꽃눈이 터질 때
운명이 터지듯 만나서

사랑했던 계절은 한순간
심장처럼 뜨거웠는데

이별은 허무하게 부서져
골목 끝으로 바람에 날리는 가을이고

아픔은 견뎌내지 못할 것 같은
하얗게 얼어붙은 겨울의 몫이다

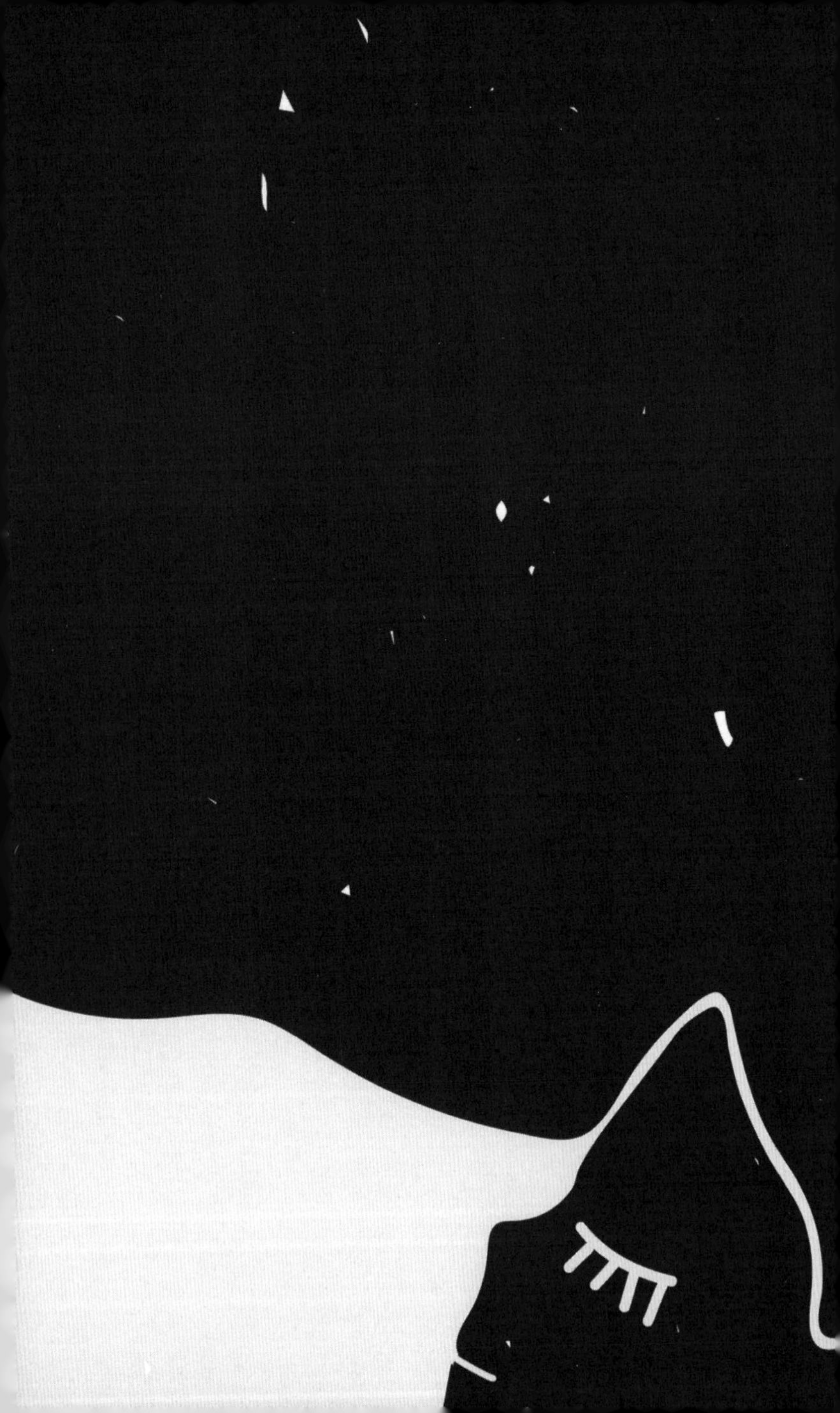

4부

삶 그리고...

인생

삶에 정답이 있을까
그 질문이 어려워
답을 안 찾고 그냥 산다
그래도 살아지는 게 인생이더라

죽고 싶을 만큼 힘들어도
어차피 살다보면 결국 다가올 일을
그럴 거면 하루하루 견디며 사는 게
그 나날이 인생이더라

인생 별것 없지만
그 별것 없는 게
나중에 지나고 보니
결국 인생이더라

용서

용서는 상대방의 잘못을
풀어 주는 것이 아니라
내 마음속에 녹슨 쇠사슬을
풀어 주는 일이다

용서는 상대방의 잘못이
덜어지는 것이 아니라
내 마음속의 넘치는 미움이
덜어지는 일이다

용서하며 살아라
무거운 삶이
가벼워지는 일이다

우산

비가 내리는 길 위에서
한쪽 어깨가 흠뻑 젖더라도
옆에 걸어가는 사람에게
우산 안쪽을 내어 주어라
그 사람이 너에게 바짝 붙어
심장의 따뜻한 온기를
아낌없이 내어 줄 것이다

아물다

계단을 오르다 넘어져
찢어진 무릎을 꿰맸다
살이 아무는 것을 보면서
세월이 상처에 스치는 것을 느낀다

삶이란 계속해서 상처를 내는 일이고
견뎌 온 하루하루를 꿰매면
하나가 되어 아무는 것이 인생이다
세월이 흉터를 남기는 것을 보아라

흔들의자

흔들거리는 의자가
더 안락하고 편안해

삶도 가끔은 흔들거려야
다시 균형 잡으려고
제대로 살아가는 거야

단절

아픈 딸을 안아줄 때
냄새가 날까 봐
담배를 끊었다

공황 장애가 찾아와
공황 발작을 멈추려
술도 끊었다

과호흡 증후증엔
카페인이 독이라고 해서
커피도 끊었다

우울증이 심해져
사람들을 마주치지 못해
친구도 끊었다

이젠 또 뭘 끊어야
내가 살아갈 수 있을까
알록달록한 약만 끊으면 될까
그렇게 끊으면 삶이 이어질까

정수기

내 심장 밑에 필터가 있나봐
살다보니 슬픔도 그리움도 걸러지더라
어느새 아픔도 익숙해져 찔러도 덜 아파
이제 다시 애잔한 이별을 해도
굳은살 덮인 상처처럼
많이 쓰리진 않을 거야

그러니까 망설이지 말고
목마른 삶의 모퉁이에서
그 누구와 다시 사랑을 해 볼까?

장마

오랫동안, 너무나 오랜 시간
바닥을 두드리는 기억들이 있어
흐르는 것은 세월이요
고인 것은 상처 뿐
어차피 얇은 널빤지 위를
빗물처럼 잠깐
두드리고 가는 것이 인생인데
우리는 누군가의 기억 속에
대못처럼 오랫동안 남으려 하고
그 누군가를 너무 오랜 시간
대못에 걸어 기억하려 하는구나

새의 무덤 1

축 늘어진 전깃줄 위에 앉아
간신히 균형 잡으며 떨고 있는
어린 새 한 마리의 심장소리가
굵은 빗줄기를 뚫고 달려와
가슴에 부딪친다

가슴속에 푸른 잔디를 덮어주었다
새는 둥글고 푸르게 자랐고
하늘에 빗물이 마를 무렵
도시의 전깃줄이
하나씩 철거되고 있었다

새의 무덤 2

하늘에서 심장소리가 들린다
푸른 상공에 비행기 한 대가
하얀 줄을 긋고

나는 엄지발가락에 힘주며
하얀 줄 위에 쪼그리고 앉아
간신히 균형을 잡는다

더 이상 새가 날지 않는 하늘
한쪽 끝에서 하얀 줄이
가을바람에 철거되고 있다

동기 없는 살인

비린내 나는 시장 바닥
때 낀 발톱으로
조심스레 걸어가던 비둘기
달려오는 트럭 바퀴 밑에서
한바탕 푸닥거리하다가
피 한 방울 튀기지 않은 채
뿌드득
뼈 부러지는 소리만 난다

검붉은 포도즙
비스듬히 꽂힌 빨대에
입술을 물들이고 있었다
갑자기 뻣뻣해지는 목
주름진 빨대 돌리듯
좌우로 움직이면
날개 꺾이는 소리가 난다
시원하다고 할까
허전하다고 할까
변덕이 심한 목숨
어디론가 밀어 넣고 싶었다

손가락으로 빨대를 꾸욱 누른다
이제 곧 숨이 막힐 것이다

가습기

목구멍 따갑도록 곡(哭)을 하여라

억척스럽게 살았건만
몸뚱이 하나 가져가지 못하는구나

이제 살아생전 육신 허공에 뿌릴 터이니
흩어지는 마지막 모습 기억하여라

지각하다

한번 타이밍 놓치면
매번 빨간불에 걸리는 신호등
지각하는 삶은
텅 빈 복도 중앙에
의자를 든 채 서있고
가끔 눈을 피해 내려놓는 삶의 짐
누군가 알맹이 먹고 버린
포도껍질 속에 고인 단물 같다

어차피 내 키만큼
길게 삽질하는 삶
조금 늦게 가는 것일 뿐
잠시 후 네 옆에
나란히 누울 나인데

초역세권에 사는 인생

초역세권 교통 환경에서 사는 인생은
자고 일어나면 두 배의 행복이 보장될까
엎어지면 코 닿을 곳에 있는 탈출구가
막힌 길목에서 빠져나가게 해 줄 수 있을까
사람들이 모여모여 비집고 들어가
빗물도 내려가지 못하게 꽉 막혀버리면
빗물이 넘쳐나서 또 다른 한강을 이룰까
자고 일어나면 세 배의 행복이 보장되는
새로운 한강이 보이는 인생이 재건축될까
우리의 삶에 다시 행복이 재건축될 수 있을까

역과 멀리 떨어져 사는 나는
오늘도 반토막 나는 인생일까

촛불 사랑 - 사회적 거리두기

오늘은 거기까지만
나도 당신을 뜨겁게 안고 싶지만
서로의 옆에서 서 있기만 해요

철없는 내 사랑에 혹시
당신의 마음이 상처로 녹아내릴까
오늘은 다가가지 않고
별도 뜨지 않는 이 밤을
옆에서 환하게 밝혀 드릴게요

언젠가 하얗게 흘러내리는 그리움이
당신과 나 사이의 거리를
조금씩 조금씩 채우면
그때는 기다린 거리만큼 시간만큼
하나가 되어 안아드릴게요

네 삶의 끝에서

하얗게 눈 덮인
삶의 언덕을 걸어가다가
문득 뒤돌아봤을 때
너의 발자국만 따라오고 있다고
너무 외로워하지 마

너의 발자국 위를 곱게
내가 밟으며 따라가고 있으니
결국 네가 멈춰 서는 날
네 삶의 끝에서 우린
같은 눈을 맞으며 서 있을 거야

물티슈

물티슈를 새로 뜯으면
스티커 위에 제일 먼저 보이는 글씨
-사용 시 제거해 주십시오-

사람을 새로 만날 때도
마음속에 딱지처럼 붙어있는
편견을 반드시 제거해야 한다
그래야 내 편이 생긴다

사랑을 새로 시작할 때도
기억 속에 흉터처럼 남아있는
상처를 반드시 제거해야 한다
그래야 새살이 돋는다

건조기

세탁기 등에 편하게 업혀
어차피 한 바퀴 돌아갈 텐데
나도 한번 같이 돌려주시오
매일 밤 흐르는 눈물이나 마르게
혹시 아시오 내 그리움은
백 퍼센트 면이라서
건조가 끝나고 나면
반으로 줄어들어 있을지
그렇게 된다면 무척 고맙소

눈꽃

새하얀 눈길 위를
새하얀 발자국 꾹꾹
새기며 걷는 것이
삶이란다

가끔은 휘청거리며 넘어져
눈길이 파이고 발자국이 지워져도
또다시 새로운 눈꽃이 날려
네가 걸어가는 길이 새로워지는 것이
삶이란다
희망이란다

서해

귓불을 잡고 한가득 퍼온 후로
고개를 돌려 뒤돌아볼 때마다
파도소리가 난다 파도의 등에 업혀
출렁출렁 수십 고개 넘다 보면
하루 종일 바다를 바라보는 해바라기
커다란 눈동자 너머로
뿔 휜 소가 땅바닥에 서글픈 시(詩)를 쓰고
시(詩) 구절을 따라 새들을 몰고 배가 떠나가면
그리움의 벌레들 어디선가 몰려나와
초록의 물이끼를 찾아다니는 부두가 있고
누군가 파란 낚싯줄 매단
대나무 그림자를 바다에 던지면
첨벙거리는 싱싱한 햇살들이
물속에서 고개를 내밀어
느닷없이 지나가는 구름에 입맞춤하고
늦은 아침밥을 먹던 말라붙은 숟가락으로
저 바닷물이 마를 때까지 퍼먹어도
아프지 않을 것 같은
하얀 모래밭이 있다

그대 입술에 꽃

그대 입술에 꽃을 피워라
꽃을 피우기 위해 흙이 감춘 씨처럼
말이란 꽃을 피우기 위해
붉은 입술이 감춘 씨와 같다

꽃처럼 아름다운 말을 입술에 담고
꽃처럼 흉내 낼 수 없는 고운 빛깔의 말을
붉은 입술에 피워라
꽃처럼 향기로운 말이 천리를 가게 하고
항상 긍정적인 말의 씨로
꽃처럼 탐스러운 열매를 맺게 하라

그대의 붉은 입술에
봄처럼 가득
꽃이 피게 하라

꿈을 향해

바라보기만 하는 사람은
바닷물을 만져 볼 수 없다
바다를 향해 모래를 깊게 파면
푸른 바닷물이 길을 따라 들어온다
모랫길이 무너지더라도 당신은
바다를 만져 볼 수 있을 것이다

꿈만 꾸고 행동하지 않는 사람은
한낮에 잠든 몽상가이다
꿈을 향해 날개를 활짝 펴면
하늘길이 열려 푸른 꿈이 이뤄진다
꿈의 문턱에서 물거품이 되더라도
당신의 날갯짓은 청춘에
값진 흔적을 남길 것이다

결혼 축시(祝詩)

갈바람 같은 세월을 따라
낙엽 한 장 띄우며 흘러가다가
단단하고 커다란 바위를 만나면
상처 받으며 바위를 깨려하지 말고
때로는 물 흐르는 대로
흘러가게 내버려 두는 것도
새로운 물길을 만드는
인생을 살아가는 하나의 방법입니다

사람과 사람이 살아갈 때도
서로 닮아가려고 노력하다가도
휘지 않고 죽죽 벋은
대나무 숲길을 만나거든
서로 부러뜨리지 않아도 됩니다
때로는 닮아가려고 노력하지 않아도
처음부터 닮은 사람을 찾아 만났기에
결국은 둘 다 같은 하늘을 향해 있을 것입니다